S0-BCJ-439

Découvrez toute la collection des petits métiers
sur www.mijade.be

Éditions Mijade
18, rue de l'Ouvrage
B-5000 Namur (Belgique)

Titre original: De bouwvakker
Liesbet Slegers
© 2016 Uitgeverij Clavis

ISBN 978-2-87142-980-7
D/2016/3712/43

Imprimé en Belgique

Liesbet Slegers

Sur le chantier

Un chouette métier raconté par Annick Masson

Mijade

Bientôt,
on va construire
notre nouvelle
maison.

Youpie, je vais avoir une grande chambre rien que pour moi!

Maman et Papa préparent les plans avec l'architecte.

On va habiter à la campagne...

Alors, ici ce sera notre salle de bain...

Tout est prêt?
On peut commencer
les travaux?

Oui, mais d'abord,
tout le monde met son uniforme.

La sécurité avant tout!

Le casque

Les gants fluorescents

La ceinture et ses étuis à outils

Le pantalon de travail

Les chaussures de sécurité

Sur le chantier, il faut beaucoup d'outils et de machines.

Il y a un bureau mobile...

... et un WC, s'il vous plaît !

La bétonnière

Le marteau-piqueur

La pelle

La brouette

La meuleuse

Le niveau

Le crayon

Le mètre

Le bulldozer

Le marteau et les vis

La truelle

La grue

La pelleteuse

Les briques

Oh là,
il y a des bosses ici...
Amenez le bulldozer !

En avant toute !
Il faut que toute l'herbe disparaisse.
Le sol doit être bien plat.

Il est temps de mesurer la surface de la maison.

Attention, il ne faut pas se tromper.

Tout doit être bien droit !

La pelleteuse arrive pour creuser les fondations.

Par ici la terre !

Grâce aux repères des géomètres, je sais où je dois creuser.

Le camion récolte la terre...

Ensuite,
on pose le béton
pour faire un sol
bien plat et solide.

Attention où on met les pieds!

Je suis le camion-bétonnière
Je tourne, je tourne et je malaxe.
Vite, il faut se dépêcher,
sinon le béton va se solidifier!

Et voici les maçons.
Ils viennent monter les murs de la maison.

Avec une truelle, des briques, et du ciment!

Par ici les briques!

Le chantier avance vite, sauf quand il pleut.

C'est trop dangereux...

Tout le monde à l'abri!

Ça va, le mur est bien droit.

Il faut placer les fenêtres, les portes, et puis le toit.

Ce sont les charpentiers qui fabriquent le toit.

Nous, on pose les portes et les fenêtres.

Les couvreurs clouent es ardoises sur le toit.

Même pas le vertige !

Alors, elle est pas belle, notre maison?
Superbe! On peut y entrer?

Papa, moi plus tard,
je serai... chef de chantier!